KB076746

여행가는 길

발 행 | 2023년 12월 6일
저 자 | 전민재
펴낸이 | 한건희
펴낸곳 | 주식회사 부크크
출판사등록 | 2014.07.15.(제2014-16호)
주 소 | 서울특별시 금천구 가산디지털1로 119 SK트윈타워 A동 305호
전 화 | 1670-8316
이메일 | info@bookk.co.kr

ISBN | 979-11-410-5777-0

www.bookk.co.kr
ⓒ 전민재 2023

여
행
가
는
길

전민재 지음

내비게이션

목적지를 입력하시오

행복해지길 원치 않는 사람은 단언컨대 단 한 명도 없습니다.
각자 다른 길을 가면서
다른 것을 보고, 듣고, 느끼고, 생각하며
하루하루를 바쁘게 살아갑니다.
그러다가 어느 순간에 지쳐
끝없는 방황을 하기도 하고
잠깐 이탈하기도 합니다.

출발지가 달라도
방향이나 속도는 차이가 나도

결국 단 한 가지의 목적지를 향해 나아갑니다.
"행복"

목적지로 가기 위해 처음 시동을 거는 것은
바로 나 자신입니다.

방황하는 이들에게 소중한 나침반이 되기 위해
정신없는 이들에게 소중한 휴식처가 되기 위해
이 책을 씁니다.

Chapter 1. 내가 되기까지

나는
그냥 만들어진 것이
아니다

의도치 않은
과정 속에서
탄생한 사람

(밀양)용평터널

"나"라는 사람에 대해 깊게 파고들어 본 적이 있나요?
거기에서 어떤 대답을 들을 수 있었나요?

이미지를 찾아서

"잼민이"
요즘 주위 사람들이 나를 부를 때
이렇게 부른다.
사전적으로는 초등학생
혹은 철없는 아이라는 뜻을
가지고 있어서
듣는 이에 따라 매우 기분 나빠할 수도 있다.

그렇지만 나는
오히려 그렇게 불러주는 것에
기쁨을 느끼고 있다.
친근하면서도 편한 이미지를 연상케 하는 말이라고 생각해서
전혀 거부감이 없다.

내가 그만큼 순수함을 가지고
세상을 천진난만하게 살아간다는 것을

스스로도 잘 알고 있는 것 같다.

하지만 어떨 때는 그 별명이 마음에 들지 않는다.

'이제 나이도 곧 서른인데 어른스럽게 행동해야지'

'잼민이라는 별명은 어울리지 않아'

나도 모르게 가끔 이런 생각이 들 때가 있다.
그런 생각에 사로잡혀
행동 가지를 진중하게 하고
말수도 줄여보려 노력했지만
잘되지 않았다.

내 자신이 너무나도 어색하게 짝이 없었다.

그렇지만 이내 한 가지 생각에
그 모든 상념들이
한 번에 정리된다.
'보여주기식의 이미지는 진짜 내 모습이 아니야.
나는 나일 뿐이야'

그래서 언제 그랬냐는 듯 헤헤 웃고 만다.

SNS의 발달로 인해 사람들은 자신에게 집중하는 법을
점점 잊고 있는 것 같아 매우 안타깝다.

때로는 타인이 보는 내 모습을 잠시 벗어두고
나의 진짜 모습과 대화해보는 시간을 가져보는 것이 어떨까?

[이미지란
다른 사람이 만들어내는 나의 모습일 뿐,
진짜 내 모습을 바라보려 노력하자]

(진주)촉석루

(진주)월경사

만들어 가는 중

뭐든지 하루아침에 만들어지는 것은 없다.
어떤 것이든지
조금의
혹은 수많은 과정을 거쳐야만 된다.
그것이 세상의 이치다.

지금은 어엿한 성인으로 자라
하루하루 일을 하며
내 앞가림을 하고 있지만
이 또한 그냥 된 것이 아님을
요즘 들어서 종종 느낀다.

그중에서도
특히나 대학생이던 시절에 있었던 일이
자연스레 떠오른다.

여름방학 직전에 나는 기숙사에서 한 학기를 같이 보냈던
동기들과 축구 시합을 한 판 했다.

나는 축구에는 영 소질이 없었기에
원래는
주로 골키퍼를 보다가
그날은 갑자기
미드필더로 뛰고 싶다는 생각이 들어
새로 산 축구화를 신고
운동장을 열심히 뛰어다녔다.

공을 몰고 가다가
공을 뺏으려고
뒤에서 쫓아오는 친구를 따돌리려
반대 방향으로
몸을 트는 순간
무릎에서 이제껏 들어보지 못한
엄청나게 커다란 소리가 났다.

그 아픔은 이루 말할 수 없을 정도로
상상을 초월했다.

나는 그 자리에서 운동장을 뒹굴었다.

그러나 이상하게도 나의 표정은 웃고 있어서
친구들이
처음에는 장난으로 아픈 척
연기한다고 생각했다.

그러나
시간이 지나도 일어서지 못하자
그제서야 다친 것을 알고
기숙사까지 나를 업어서
방 침대에 간신히 눕혔다.

그날 새벽에 응급실로 실려 가
통깁스로 응급처치를 한 후
다음날에 병원에 가보니 글쎄
"전방십자인대 완전 파열"이란다.

다시 일어나는 데까지 한 달,
걸음마를 새로 배우는 데까지
2주가 걸렸다.

나이 스무 살 먹고 걸음마를 다시 배운다는 것이
많이 낯설고 이상하긴 하지만
마냥 불편하지는 않았다.
그렇게 신체검사를 받으러 간 나는,
그 부상 덕분에 군대를
면제받았다.

아직도 그때 일을 떠올리며 수많은 가정을 하곤 한다.

'내가 만약 그날 축구를 하지 않았더라면'

'내가 만약 다른 학교를 다녔다면'

'내가 만약 그 친구랑 친하게 지내지 않았더라면'
과 같은 생각들이 스쳐 지나가며

생각했다.

'덕분에'

세상엔
거저 이루어지는 것이 없음을

가장 강하게 와닿게 해주었던
사건이다.
모든 것은 짧고 긴 과정의 연속으로 완성된다.

그러니
지금 하고 있는 일이
잘 되고 있다면
그 과정에 감사하고
잘 되고 있지 않다면
그 과정을 돌이켜보자.

그러면
앞으로 헤쳐 나갈 세상의 길라잡이가 생긴다.

[과거가 있기에 현재가 있고
현재가 있기에 미래가 있는 것처럼
과정이 있기에 결과가 따라오는 것이다.
거저 오는 것은 없음을 새기며 살자]

(당진)삽교호놀이동산

이상주의

지금도 마찬가지이지만
어렸을 적엔
하고 싶은 것들이
정말 많았다.

반에서 장래 희망에 대해 이야기할 때
꼭
빼놓지 않고 나오는 직업들이 있다.
대통령, 과학자, 축구선수...
절반 이상은 이런 대답들이었다.

그때는
너나 할 것 없이
그런 생각들을 가지고 있었다.

단순히 멋있어서?

아니면 진짜로 하고 싶어서?

여러 가지 이유가 있겠지만
어떤 이유에서든지
말하는 대로
진짜로 이루어진다면
더할 나위 없이 멋있는 것은
틀림없다.

그러나
어떤 직업을 말하든지 딱 하나의 공통점은 있었다.

'저런 사람이 되는 것은 현실적으로 어렵겠지?'

이런 생각은
어느 누구도 하지 않고
장래 희망에 대해 얘기했다는 것이다.

어린 마음에
그런 생각이 들지 않는 것이어서
어찌 보면

당연한 것일지도 모르지만
지금 돌이켜보면
그런 순수함도 당연한 것이 아니었다고 생각한다.

그렇듯
현실과는 별개로
모두들 저마다의 이상을
하나쯤은 가지고 있다.

그 이상을
조금이나마 마음속에
품고 있을 때
비로소 나는
지금의 내가 행복하다고 느낀다.

[잠시라도 현실에서 벗어나
상상 속의 세계로 떠난다면
어느샌가 입가에 미소를 짓고 있는
나를
발견할 수 있을 것이다]

(보은)삼년산성

(대구)이월드

마음에 몸을 맡기자

우리는 제각기 다르지만
저마다 동일한 패턴으로 생활하고 있다.

아침에 부스스한 몰골로
무거운 눈꺼풀을 겨우 치켜세우고
눈에 붙은 눈꼽들을 억지로 떼며
조금만 더 자고 싶게 하는
달콤한 침대의 유혹에서 벗어나
등교 준비, 출근 준비를 한다.

학교를 다니는 학생이라면
공부를 열심히 하든 안 하든
매일매일 학교 가는 것 자체가 싫고

출근을 해야 하는 직장인이라면 매일매일 출근해서
일을 하는 것이 싫을 것이다.

내가 중학교를 다닐 때 늘 똑같은 등교였지만
어느 날부터 별다른 계기 없이 매일매일 학교에 가는 것에
재미를 느꼈던 적이 있다.
물론 내가 외향적인 사람이라 학교에서
친구들과 재미있는 이야기도 많이 하고

체육 시간에는 내가 좋아하는 야구도 실컷 하고

점심시간에는 다 같이 우르르 몰려가서
2~30명 정도 앉을 수 있는 커다란 테이블을
내 친구들로만 가득 채워 맛있게 밥을 먹기도 하는

친구들과의 그런 사소하지만 행복한 시간들로
학교생활을 했기 때문에 그런 것일 수도 있다.

그래서 그런지 아침에 일어날 때마다
나는 오히려 기분이 상쾌하고
빨리 학교에 가고 싶다는 생각밖엔 없었다.

학교에 가면
오늘은 어제보다 더 재미있고
내일은 오늘보다

더 재미있는 일들이 나를 기다릴 것이라는
기대감에
학교 가는 것이 너무나 즐거웠다.

이처럼
모두가 같은 생활을 하는 데도
하루하루를 즐길 수 있는 가장 큰 힘은
"마음먹기 달렸다"라는 것이다.

[이왕 하는 거,
어차피 해야 하는 것이라면
즐거운 마음가짐으로 임해보자.
그러면
같은 것일지라도 다르게 보일 것이다.]

(안동)검무산 운해

반짝반짝 빛나는 황금기

내가 생각하는
내 인생의 황금기는
중학교 3학년 때이다.

나는 모범생도 아니었고
그렇다고 일진이라고 불리는
노는 학생도 아닌
어느 반에나 있는 평범한 학생이었다.

그렇지만 유독 16살의 나는
모든 일들이 잘 풀렸다.

학교 시험에서 영어 과목만
8연속 100점을 맞아보고

여느 때와 다름없이

운동장에서 야구를 하다가
내 인생의 첫 연애를
경험해보기도 했다.

도대체 왜였을까
그 당시에는 전혀 몰랐다.

다른 친구들도 다 비슷할 것이라 생각해서
내가 지금
행복한 학교생활을 하고 있는 건지
행복한 삶을 살고 있는 건지
알지 못했다.

그러다가 문득 눈을 떠보니
곧 서른을 바라보고 있는 지금
이 시점에 오고 나서야

'그때가 정말 행복했구나'

'그때가 내 인생에서 제일 즐거웠구나' 하며

지난날의 나를
곰곰이 되돌아보니

그땐 어떻게 즐겁게 생활할 수 있었는지 깨달았다.

[긍정의 힘을 믿어보라.

생각보다 강력한 힘으로

우리의 인생을

지탱해주고 끌어줄 것이다.]

(서산)웅도 잠수교

(포항)스페이스워크

우리모두 함께, 투게더

사람이라는 동물은
다른 동물들과 다르게
사고를 가지고 있고
그에 따라
사회성이라는 특성을 지니고 있다.

그래서 사람은 모름지기 혼자 살아갈 수 없다.

원시시대로 거슬러 올라가면
비록
삶의 방식은 지금과는 많이 달랐지만
사고방식은 크게 다르지 않았다.

큰 짐승들을 여러 명이서 함께 힘을 합쳐 사냥하기도 했고
밭을 갈고
씨를 뿌리고

물을 주고
자라난 곡식을 수확하는 것조차
혼자서 하지 않았다.

다시 지금으로 돌아와보자.

어렸을 땐
살아가는 데 가장 기본적인
먹는 것부터
말을 하고
걸어다니고
옷을 입는 것 모두
혼자 힘이 아닌
부모님의 도움으로 해낼 수 있었다.

그랬던 아기가
좀 더 자라 학교에 가서는
상황에 따라 다른
행동 방식과 사고방식을
우리는 선생님을 통해 배우고
내 것으로 만들 수 있었다.

그러면서 비슷한 사람들끼리
무리 지어 생활하는
"친구"라는 것도 새롭게 만들 수 있었다.

길고 길었던
16년의 학교생활이 끝나고
어엿한 직장인이 되어
난생처음 해보는 출근을 해서도
선배와 동료, 상급자들에게
조언을 구하기도 하며
직장생활에 적응하는 데에
큰 도움을 받았다.

이처럼 그 누구도
오로지 혼자 힘으로
지금에 이른 사람은 없다.
우리 모두가 "함께"일 때,

우리는 찾아올 고난과 역경을
잘 극복하고 행복하게 살아갈 수 있다.

["함께"라는 말은 우리 삶의 윤활유가 되어준다.]

겪어보기 전에는 모르는 법!

"우리 민재 이제 다 컸네"
살아오면서 이 말을 여러 차례 들은 적이 있다.

여기서 "다 컸다"라는 건
단순히 몸만 커졌음을 뜻하는 것이
아니라는 것을
모르는 사람은 없을 것이다.

그렇다면 나를 다 크게 만든 것은 어떤 것들이 있었을까?

역시나 경험이다.
어렸을 적에 했던 RPG류의 게임들은
모두 다 스타일이 달랐고
플레이 방식에서도
차이가 있었다.

그러나 딱 한 가지 공통점은
"경험치"라는 시스템에 의해
내가 키우는 캐릭터가 점차 강해졌다는 것이다.

물론 경험이라는 것은
게임과 현실에서는
다소 다르게 적용될 수 있지만
그런 크고 작은 경험들이 쌓이고 쌓여서
하나의 완성형이 되어간다는 것은
같다.

우리가 실제로 살아가는 데 있어서의
경험이라는 것은
보는 것, 듣는 것, 만지는 것, 느끼는 것 등등의
포괄적이고
다양한 것들이지만

어찌보면 한 가지의 부류로 통일되지
않기 때문에 우리는 잘 성장할 수 있는 것이다.

["나"라는 작품을 만들기 위해서는 반드시 경험이라는 것이
필요하다.]

(통영)강구안

(청주)청주대교

Chapter 2. 아는 것이 행복

지피지기면

백전백승

행복에도

필승법이 있다

전민재

풀어쓰면 온전 전, 민첩할 민, 재목 재
줄여 쓰면 전민재. 내 이름 석 자이다.
말 그대로
'민첩한 재목이 되어라'는 의미에서
완성된 나의 특별한 이름이다.

그러나 학창 시절에
친구들이 하나둘씩 한자에 눈이 뜨이기
시작할 때
놀랍게도 내 이름은 뜻밖의 웃음 포인트가 되었다.

" 야 전민재, 너 재능이 있는 사람이구나 "
처음에는 친구들이 내 이름의 진가를 알아주는 듯이
이름을 불러줘서 기분이 좋았다.

하지만 나도 모르는 사이에 내 이름이
" 밭 전, 백성 민, 재주 재 "
밭을 가는 재주가 있는 백성으로 불리고 있었던 것이다.

처음에는 기분이 나빴지만
그렇게 부르는 친구들이
하나둘씩 늘어가고
어느새 웃음바다가 되어있는 모습을 보면서

이런 사소한 것으로도
모두가 행복해질 수 있구나 하는
느낌이 들어 나도 같이 웃었다.

「아는 만큼 보인다고 하지만
때로는 알지 못하는 것에서 오는 행복이
보이는 것보다 더 클 때가 있다」

[웃음이나 행복은 결코 거창한 것이 아니며
멀리 떨어져 있지도 않다.
주변을 둘러보면
아주 작은 것으로도 행복을 만들 수 있다]

하나둘 셋! 찰칵!

고등학교 3학년때,
모두들 한창 대학입시에 목을 매달던 그 시기에
남들과는 다르게
공부와 성적에는 전혀 연연하지 않고
오로지 사진에만 관심을 가지고 있는 친구가 있었다.

그 친구는 지금의 나처럼
묵직한 DSLR 카메라를 항상
가지고 다니면서 사진을 찍곤 했다.

고3의 나 역시
공부에는 관심이 없었지만
게임과 야구에는 진심이었다.

맨날 한다는 생각이

'아 오늘은 어떤 핑계로
야간자율학습을 손쉽게 뺄 수 있을까'
'아니면 그냥 담장 넘어서 도망칠까'

이런 생각들뿐이었다.
처음에는 요령도 없고
연기도 매우 서툴러서
얼마 못 가
바로 담임선생님께 걸려서
벌 받기 일쑤였다.

그러기를 수 차례 반복하자
이제는 요령이 생겨서인지
아니면 담임선생님이 그냥 포기하신 건지는 잘 모르겠지만
자연스레 빠져나와 친구들과 근처 짜장면 집에서
간단하게 한 끼를 해결하고 바로 피시방으로 직행해서
열심히 게임을 하고 집에 들어갔다.

그러다가 어느 날
그 친구가 들고 온 카메라를 구경하면서
이런저런 얘기를 해보니
그 친구는 사진을 좋아해서
대학교 학과도 그쪽으로 갈 생각이라고 했다.

물론 그 이후로는 진짜로 그쪽 학과로 진학했는지
그쪽 분야에서 일을 하고 있는지
알 수는 없었지만
그때의 나는 어쩌면 나도 모르게 그 친구를
조금이나마 대단하다고 생각했을지도 모른다.
왜냐면
나와는 다르게
진짜로 하고 싶은 게 뭔지 알고 있으니까.

[분명 과거는 이미 지나왔지만
어느 순간순간에는
지금과도 비슷한 생각을 하고 있었을진 않을까]

(대구)북대구IC

(대구)와룡대교

행복 찾아 1리

누군가 나에게
어떤 때 가장 행복하냐 질문한다면
이제는 확실하게 말할 수 있다.

"전국을 여행 다니며 보는
아름다운 풍경을
카메라에 담고 있는
내 모습을 볼 때"

행복에 관해서 주위에 물어보면
내 집마련, 억만장자 되기,
돈 많이 벌기, 좋은 자동차 사기 등등의 답변이 가장 많다.

물론 그것들도 살아감에 있어서
중요한 문제이고
행복의 지표가 될 수 있다.

하지만 그런 것들은
어디까지나 보여지는 행복이고
막연하기도 하고 거창한 행복이다.

그래서 그것들을 얻기 위해
무엇을 하고 있냐고 물어보면
막상 구체적으로 대답할 수 있는 사람들이
몇 없다.

그런 사람들에게 이야기해주고 싶다.

행복은 주위의 작은 것들로부터 시작되는 것이라고.

나 또한 지나온 28년간은 깨닫지 못하다가
29년째 되는 지금에서야
비로소 알게 된 것이지만
이제라도 나에게 있어 진정한 행복을 찾게 되어
언제나 기쁘다.

[소확행 : 소소하고 확실한 행복]

찰나가 영원이 될 때

가족과 친구를 비롯한
소중한 사람들과의 추억을 저장하는 방법.
그 추억들을 만들어 가기 위해
우리는 여행을 떠나곤 한다.

그런 사람들과 떠난 여행지에서
먹고 구경하고 경험하는 것들은
이것저것 할 것 없이 모두 추억으로 기억된다.

원래도 여행 떠나는 것을 좋아했던 나지만
어느날 문득 생각이 났다.

'이 특별한 기억들을
오래도록 기억할 수 있는 방법이
뭐가 있을까'

곰곰이 하던 생각으로
카메라를 구입하고 자동차도 새 것으로 바꿨으며
마침내 나를 사진작가로 만들었다.

평일에는 열심히 일을 하다가
주말만 되면 가까이든 멀리든
무조건 떠나고 본다.
내가 떠난 곳에는 아름다움이라는 것이 항상 존재했다.

내가 눈으로 보고 마음속으로 느낀 아름다움들을
한 컷 한 컷 정성스레 셔터를 눌러가며
아름다움을 카메라로
옮겨 담았다.

그것이 내 자신과의 추억을 쌓아가고
저장하는 방식이 되었다.

그러다가 내가 이제껏 여행 다니며
봐왔던 풍경들을 보여주면서 느낀 감정들을
다른 사람들과 같이 공유하고 싶은 마음에
잠자고 있던 나의 인스타그램 계정을 하나 깨워
나만의 여행 기록들을 하나둘씩 올리기 시작한 지
어언 1년 반이 다 되어간다.

점점 내 사진에 관심을 많이 가져주고
내 계정을 팔로우 해주시는
전문 사진작가님들이 늘어나고 있고
덩달아 아름답다는
댓글도 달아주시는 분들이 많아졌다.

그렇게 꾸준히 하다 보니
팔로워가 약 1,150명이 되어있는 것을 보면
하루하루가 뿌듯하고 살아가는 것이 기쁘다.

그렇게 대단한 풍경이 아닌 데도
내 사진에 공감해주고
응원의 메시지를 주시는 분들에게
감사함을 느끼며
행복해하는 나를 발견하면서

비로소 인생의 재미를 찾았다.

[추억을 조각조각 맞춰서 완성 시키듯
행복 또한 조각조각 맞추다 보면
하나의 커다란 완성품이 될 것이다]

(안동)선유줄불놀이

(김천)연화지

지금 여기서

예전에 TV로 1박2일을 보는데
바닷가 앞에서 오프닝을 하며
멤버들 간에 어김없이
서로를 입수시키려 하는 장면을 보았다.

그 앞에서는 강호동이
입수를 꺼리는 다른 멤버들에게 이런 말을 했다.

"앞으로 영원히 돌아오지 않을 2009년의 가을.
지금 지나면 영원히 다시 안 옵니다."

그 당시에는 그저
출연진들을 입수시키기 위한 계략이라고만 생각하면서
웃고 넘겼는데
14년이 지난 오늘날,
왜인지 모르게 그 멘트가 와닿았다.

그래서 지금의 나는
"지금"이라는 단어를 가장 좋아한다.

살면서 물론
지난 시간들을 돌아보는 것도
앞으로의 시간을 상상하는 것도
중요하지만

그래도 지금이 제일 중요하다.

과거가 하나둘씩 모여 지금이 되었고
지금이 하나둘 모여 미래가 될 것이다.
그렇기 때문에 현재에 충실해 살다 보면
자연스레 얻어지는 것들이 많을 것이다.

그러니 과거 때문에 자책하지도
과거의 영광에 취해있지도 않고
그렇다고 다가오지도 않은 미래 때문에
걱정할 필요가 전혀 없다.

지금 있는 자리에서 최선을 다하면 저절로 이루어질 것이다.

[너무 애쓰지 말기.
물 흐르는 대로 자연스럽게 가다 보면
반드시 다 되게 되어있다]

나를 찾아가는 중입니다

가끔 하나의 생각에 깊게 꽂혀서
다른 건 다 제쳐두고 몇 십 분, 몇 시간동안
그 생각만 할 때가 있다.
수많은 잡생각 중에서는
나자신에 대한 생각에 가장 많이 심취해있었다.

여러 가지가 있지만 가장 큰 비중을 차지하고 있던 것은
'한 번뿐인 인생을 어떻게 하면
후회 없이 재미있게 보낼 수 있을까'
이 한마디를 시작으로 꼬리에 꼬리를 물다가
시계를 보고 사라진 시간에 깜짝 놀랐던 경험을
종종 하곤 한다.

많고 많은 방법들을 생각해보다가
끝에선 내가 제일 좋아하는 게 무엇이고
진심으로 빠져 살만한 것을 떠올리고

그것들을 해보는 것이
인생을 가치 있고 재미있게 살아갈 수 있는
나만의 방식이라고 결론을 지었다.

어떠한 것이든지
푹 빠져 살만한 것 하나만 있으면
매일 매일이 즐겁다.

[건전한 몰두는 인생을 빛나게 해주고
자기 자신을 원석에서 보석으로 다듬는 과정이다]

(포항)영일대 해상누각

(구례)사성암

도전을 아끼지 마세요

우리 모두
이제껏 한 번도 접해보지 않았고
경험해보지 못한 것들에 대한 두려움을 가지고 있다.

주위에서
"너는 어떻게 그렇게 쉽게 결정을 내려?"
"해보고 안 되면 책임질 거야?"
라는 말들을 많이 한다.

망설이고 질질 끄는 것을 별로 좋아하지 않는 나이기에
쉽게 쉽게 빠르게 결정을 내리는 내 모습을
다른 사람들이 보기엔
화통함을 넘어 생각 없이 사는 것처럼 느낄 수 있다.

하지만 나라고해서 실패에 대한 두려움이 없는 것은 아니다.
나도 실패를 두려워하고 그 결과에 대해 책임지는 것이

얼마나 힘든 것인지 잘 알고 있다.

그러나 오히려 그렇기 때문에
주저하지 않고 일단 해보는 것이다.
성공하면 성취감을 얻고 실패하면 경험과 창의성을 얻는다.
그래서 어떻게 보면 실패했을 때 얻을 수 있는 것이 더 많다.
실패는 성공의 어머니라는 말이 괜히 있는 것이 아니다.

성공과 실패 모두 우리에게 주는 것이 있기 때문에
도전 자체가 값진 것이다.

도전은 일상에서부터 오는 것이다.
절대 거창한 것이 아니다.
하다못해 늘 먹던 것이 아닌
한 번도 가보지 않은 식당을 가서 밥을 먹는 것 또한
도전이다.
음식이 맛이 있으면 성공한 것이고
맛이 없으면
다음부터는 가지 않으면 그만이다.

그렇기에 주저할 이유가 전혀 없다.

도전함으로써 변화와 성장을 할 수 있다.

[지나친 도전은 건강에 이롭다.
고민은 행복을 늦출 뿐이니까]

추억을 선물해드려요

우리나라는 여행을 떠나고 사진을 찍기에
참으로 좋은 환경을 가지고 있다.
갈 수 있는 곳은 한정되어 있지만
사계절이 있어서 같은 장소여도
계절에 따라 4가지의 다른 멋을 보여준다.
그렇기에 한 장소를 4번은 가보아야
진정한 아름다움을
느낄 수 있다.

그 매력에 빠져 시작한 것이 사진작가이다.

전국 방방곡곡을 돌아다니며 셔터를 누르고 있으면
나와 마찬가지로 여행 온 관광객들이
나에게 사진 촬영을 부탁하며 매우 흡족해하신다.

옆에서 보고 있었는데 사진 되게 잘 찍으시는 것 같다는

기분 좋은 칭찬을 해주시고
찍고 나서는 역시 작가님이라 그런지 다르다며
감사하다는 말씀도 아끼지 않으신다.

그럴 때마다 사진을 시작하길 참 잘했다고 생각이 든다.
실력과는 별개로 내가 사진을 찍어줌으로써
추억을 선물한다는 느낌에
마음 한 켠이 따뜻해지고 삶의 가치를 느낀다.

[재능은 나를 위해 쓸 때보다 남을 위해 쓸 때
가치가 나오는 것이다]

(통영)통영운하

(포항)포항운하

나에게로 떠나는 여행

밤낮 가리지 않고 하루종일 이곳저곳을 다니고는
숙소에 밤늦게 들어와 그제서야 저녁 겸 야식과 함께
술을 곁들이는 날이 잦았다.

고된 여행 스케줄을 소화하느라
몸은 이미 만신창이가 되었지만
그러면서도 나는 또다른 여행을 준비했다.

다음 여행 코스에 대한 생각도 물론 했었지만
그것보다도 내 마음은
아직 제대로 된 여행을 떠나지 않았다는
생각에 눈을 감고는 여러 생각에 빠진다.

제일 기억에 남는 곳은 어디였지
내가 가려던 곳은 다 갔다 왔나
오늘의 여행도 만족스러웠나

그렇게 마음속으로의 여행도 즐기며 나는 또 다짐한다

다음 여행은 이번 여행보다 더 재밌을거야
훨씬 더 색다른 광경이 나를 기다리고 있을거야
그제서야 나는 모든 여행을 마치고 잠이 든다.

[마음도 여행하기를 참 좋아한다. 귀 기울여보자]

(상주)장각폭포

지피지기면 필승

모두들 한 번쯤은 들어보았을 말이다.
보통은 이 말을 타인과의 싸움에서
필승전략으로 이야기하는데
나는 오히려 나 자신과의 싸움에서
반드시 생각하고 행하는 말이다.

나를 아는 것에서부터 모든 것이 시작된다.
그것이 행복을 위해 가는 길의 초입이다.

그러기 위해서는
나와의 대화는 필수적이다.

무언가에 쫓겨서, 매일 같은 것들의 반복이어서..
등등의 이유로 나와 대화하는 시간이 없다면

행복해지길 바랄 뿐 그 바람은 절대 현실이 되지 않는다.

그것을 통해 나를 조금씩 조금씩 찾아간다면
어느 순간 나의 가치를 찾을 수 있을 것이다.

[나를 알아가는 것이
원하는 것을 얻기에 가장 좋고도 빠른 길이다]

(원주)강원감영

(김해)김해천문대

Chapter 3. 머리부터 발끝까지

누구에게나

판단의 기준은

속

외유내강

문을 두드리고

들어가보자

MBTI

요즘 어느 모임에서나
서로에 대해 알아갈 때 혹은 알고 싶을 때
MBTI에 대한 이야기는
항상 빠지지 않고 언급되는 단골 주제이다.
사실 이론 자체는 벌써 몇 백년 전에 등장했지만
이제서야 사람들 사이에서 입소문이 나고
일파만파 퍼지게 된 것이다.

검사를 해서 나오는 결과를 보면 모두 다 하나같이
"오 이거 딱 나인데?" "틀린 게 하나도 없네" "맞아 맞아"
하며 그것이 곧 자신의 성격으로 받아들인다.
물론 나 또한 당연히 그랬었다.

지금도 그렇다고 믿고 있지만
살아가면서 여러 사람들을 만나고
그들과 상호작용하면서

그 이론이 100% 신뢰할 만한 건 아니구나
라는 것을 깨달았다.

MBTI 자체가 16가지로 사람을 분류해놓은 지표이기에
이 세상에는 수억, 수십억의 사람들이 있는데
그 많고 많은 사람들을 고작 16가지로 나눈다는 게
말이 안 된다.

하지만 그 말도 안 됨 속에서도 단 한 가지 얻어갈 것은 있다.

" 스스로를 알아가는 도구 "

완벽하게 정답은 아닐지라도
그 정답이 아닌 것에서
적어도 나를 위한 여행의 첫 관문인 것은 정답이다.

[나를 알기 위한 과정을 위한 것에는
수단과 방법을 가리지 말자]

(울산)간절곶

ENFP

지금으로부터 약 15년 전,
내가 갓 중학생이 되었을 때
어느 수업 시간에 인생 처음으로 MBTI를 검사했던 게
어렴풋이 기억이 난다.

그때 나는 ENFP라는 성격의 성적표를 받았다.
나 포함 나의 친구들은 전부 제각기 다른 결과물을 가지고
누구의 것이 좋은 거네 이건 나쁜 거네 서로 싸우듯이
토론을 벌인 적이 있었다.

물론 그땐 지금과 다르게 MBTI 이론 자체에 모두 생소했고
그걸 가르치는 선생님조차 우리와 별반 다를 것 없었다.

그래서 그땐 내 절친은 ISFP라는데 나는 ENFP구나
나랑 반은 겹치고 반은 반대네?
라고 생각하고 넘어간 게 전부였다.

그렇지만 그때와는 달리

머릿속에 무언가로 난잡하게 채워진 지금은

ENFP가 무엇인지, 어떤 성격이고 더 나아가

나만(ENFP만) 가지고 있는 특징으로

내가 다른 사람과 비교했을 때

특장점이 무엇인지까지 생각을 할 수 있게 되었다.

-ENFP-

재기발랄한 활동가.

무엇이든 매사에 열정적이고 활동적.

긍정의 힘을 무기로 여기는 사람.

함께의 중요성을 잘 아는 사람.

즉흥적인 탓에 때로는 산만해 보이기도 하는 사람.

등등……

열거하지 못한 특징들이 수두룩하지만
수많은 ENFP의 특징들 중
내가 생각하는 ENFP의 특장점을 뽑자면
가장 먼저 떠오르는
것들이다.

이게 '내가 생각하는 가장 뚜렷한 나' 이다.

[나를 가장 잘 아는 사람은 나여야만 한다]

(밀양)영남루

(경주)양남주상절리

E

외향이냐 내향이냐로 갈리는 나의 첫 번째 성격 타이틀.
착각하기 쉬운 게, 활발하다고 모두 E가 아니며
소심하다고 모두 I가 아니다.
그저 어디서 에너지를 얻느냐의 차이다.
외부 활동으로 에너지를 얻으면 E인 것이고
혼자만의 활동으로 에너지를 얻으면 I인 것이다.

부모님, 친구들, 직장 사람들을 비롯한 내 주위 사람들이
나를 볼 때 모두가 한결같이 "쾌활하다" "에너지 넘친다"
"긍정적이다" "지치지 않는다" 등등으로 이야기한다.
그래서 모두가 나는 당연히 E일 것이라고 생각한다.

맞다. 반전은 없게도 E가 맞다.
그러나 어렸을 때 가지고 있던 E와
지금의 E는 사뭇 다른 것 같기도 하다.

그때는 E였고 지금은 e인 것 같은 느낌이랄까.

사회화가 되어 어찌 보면 당연한 과정일 수 있지만
많고 적은 차이 속에서도 변하지 않은 특징이 하나 있다면
그것은
"내가 가진 에너지를 다른 사람들에게 나눠주고 싶다.
나로 하여금 모두가 웃으며 행복하게 지냈으면 좋겠다"
이다.

모두가 같이 사는 이 세상,
제각기 다른 생활을 하고 있지만
그래서 각자의 힘듦이 있지만,
그런 사람들이 나를 볼 때만큼은
모두가 하나 되어 웃으면 좋겠다.

[비극을 희극으로 만드는 힘.
그것이 E가 가진 능력이 아닐까]

jm.-.pics

(상주)경천섬

몽상가.

또 다른 내 별명이기도 하다.

그렇다.

나는 언제나 상상 속 세계에 젖어있기도 하다.

어느 한 주제에 꽂히면

그것 하나 가지고 꼬리에 꼬리를 물어

수십 수백 가지의 생각에 다다른다.

그런 싸이클을 반복하니 웃음이 끊이질 않는다.

어찌 보면 내가 가지고 있는 가장 큰 무기이자 특징인

긍정의 힘이 여기서 원동력을 얻는 것일지도 모른다.

물론 E에서 나오는 외향성 때문도 있지만

그 E가 가장 나답게 나오게 도와주는 것은

이 친구 덕분이다.

내가 가진 N 덕분에 나는 매일 매일이 즐겁고 행복하다.
'만약에' 라는 것은 어디까지나 가정에 불과하지만
현실적이든 아니든 상상하는 과정 자체가
나에게는 행복이다.

어떤 이가 나에게 "왜?"라고 물어본다면
나는 대답할 수 없다.

왜냐면 나는 정확한 답을 얻고자 하려는 것이
아니기 때문이다.

그저 어쩌면 정해지지도 않을, 정해질 수도 없는 것에 대해
생각하고 상상하는 것이 인생의 재미를 찾는 길이라고
믿을 뿐이다.

그것이 살아가는 데 있어서 즐거움을 찾는 나만의 방식이다.

[즐거움은 결과가 아닌 과정 속에 있다.]

(충주)월악산 제비봉

(부산)영주하늘눈전망대

F

'나다움'이라는 말이 가장 잘 어울리는 부분이다.
그러면서
세상은 온통 아름다움으로 가득 차 있음을
그 누구보다 자세하게 말할 수 있는 부분이기도 하다.

사람은 모두 감정이라는 것을 가지고 있다.
저마다 정도의 차이일 뿐
중요성을 어디에 두냐의 차이일 뿐
감정이 아예 없는 사람은 이 세상에 단 한 명도 없다.
그것이 사람과 다른 생명체와의 유일한 차이다.

나는 이런 F가 가진 진한 성격 덕분에
기분이 하루에도 수십 번씩 바뀌지만
그러다가도 얼마 지나지 않아
나는 살아있음을 느낀다.

감정이라는 것은 소모하면 할수록 그 가치가 더더욱 커진다.

감정을 통해 우리는 다른 사람들과 잘 어울릴 수 있고
감정이 있기에 우리는 계속해서 성장한다.
그래서 나는 어떠한 상황이 들이닥치더라도
나도 모르게 상대방의 입장에 서서 생각하게 되고
그 사람이 그때 느꼈을 감정에 대해 이입이 된다.

무수히 반복되는 과정 덕분에
마음 한구석에 따뜻함을 느낄 수 있다.

[사람이란 언제나 건전지가 아닌
뜨거운 심장을 지니고 살아야 한다.]

(당진)왜목마을 낙조

P

내가 살면서 가장 중요하다고 생각하는 요소는
"재미"이다.
이 P라는 성격이 내가 살아감에 있어서
재미를 주는 가장 큰 요소이다.

계획이라는 것 자체는
우리가 살아감에 있어서
반드시 있어야 하는 것이다.
내가 아무리 강한 P의 특성을 가지고 있어도
최소한 내가 좋아하는 것,
내가 관심 가지는 것에 대한 계획은
큰 틀을 두고 한다.

그렇지만 나는
그 이상으로 자세하고 구체적으로 계획을 하진 않는다.

나는 무엇이든지 유연성과 융통성이
중요하다고 생각하는 사람이다.

그런 나에게 촘촘한 계획이란
나 자신을 스스로 얽매고 구속하는 것과 다름이 없다.

그렇게 되면 나는
아무리 좋아하는 것이라도
금방 흥미를 잃게 되고 말 것이다.

재미를 결정짓는 가장 큰 요인은 "돌발"이다.

애니메이션 "짱구는 못말려"의 어느 극장판의
결정적인 장면에서
짱구아빠가 이런 말을 한 적이 있다.

"인생의 묘미는 계획대로 되지 않는 것에 있어"

어렸을 때 많이 봤던 만화이지만
이미 성인이 된 지금의 나에게도
큰 교훈을 주기도 한다.

계획되지 않은 것을 처음 마주하면
누구나 당황하지만

평소에 계획이라는 것을 크게 생각하지 않는 나에게는
유연하게 대처하는 과정에서 재미를 느낀다.

그래서 누군가 내게
가장 행복을 결정짓는 요소가 무엇이냐고 물어본다면
나는 자신 있게 답할 수 있다.

"예상지 못한 것에서 오는 즐거움"

[모든 것에서 찾을 수 있는 돌발.
그것을 향한 모험은 언제나 즐겁다]

Chapter 4. 해부학교실

작은 조각을
하나씩 하나씩
모으기

우리는 모두
천천히
맞춰가는 중

흔하디 흔한 말

요즘 우리 모두가
'자존감', '자신감', '자기계발'에 미쳐있다.
나라고 해서 예외는 아니다.

아니, 오히려 나는 그 어떤 누구보다 더 미쳐있다.
그렇다면 왜들 그렇게 미쳐있는 것일까?

실현하는 방식,
실현하려는 목적,
실현하려는 이유는
제각기 다르다.

노래 부르기, 글쓰기, 요리하기,
운동하기, 친구 만나기, 여행 다니기 등등
한 가지 혹은 한 번에 여러 가지를 하기도 하면서
미쳐있는 것을 미친 듯이 한다.

예시라고 몇 가지만 써넣었지만
나는 저 예시를 전부 좋아한다.

그래서 시간이 조금이라도 생기면 하나도 빠짐없이 한다.

퇴근 후에 운동을 하고
주말에 다녀온 여행지에서
찍은 사진들을 하나씩 골라서
간단한 보정작업을 한 후
인스타그램 계정에 업로드하고
자기 전에 시간이 약간 남으면
생각을 집중할 수 있게 해주는 음악을 틀어놓고
글을 쓰기를 매일같이 한다.

그러다가 주말이 다가오면
갑작스레 떠날 곳을 몇 군데 찾고선
가보지 않았던 풍경을 보러 갈 생각에
들뜬 채로 주말을 맞이한다.

그저 행복하다.

내가 좋아하는 것을 할 때만큼은
복잡한 생각에서 벗어나고
그동안 나를 눌러왔던 모든 것들에 대한 해방감에
하늘을 나는 기분이다.

[꿈같은 현실이지만,
초점을 '현실'이 아닌 '꿈'에 맞춰보자.]

(서울)경복궁 경회루

(예산)예당호출렁다리

자존감이 뭐예요?

사람들이 그토록 찾으려 하는 것.
유튜브에서 인생에 대해,
연애에 대해 이야기할 때
꼭, 반드시, 무조건 나오는 이야기.
'자.존.감'

자존감에 대한 원론적인 이야기는
그런 영상들을 통해
이미 수도 없이 많이 보고 듣고 접해보았을 것이다.

아니, 그래서 그 자존감이라는 걸 어떻게 찾고
어떻게 가지고 갈 수 있는 거냐고요.
나도 자존감이 높다는 소리를 좀 들어보고 싶은데
제발 방법 좀 알려주세요.

나도 몰랐다.
알고 깨닫게 된 지 얼마 되지 않았다.

내 스스로는 알고 있고
잘 가지고 있다고 생각을 하지만
이 또한 상대적인 것이라
누군가는 나를 볼 때
자존감이 낮다고 볼 수도 있다.

그러나 수학에도 공식이 있듯
인생에도 절대 불변의 공식이 있다.

모두들 행복하게 살길 원하기에
지금부터 이 공식을 몇 번이나 되뇌고
머릿속에서
저장 버튼을 꾹 누르자.

" 무엇이 되었든 상관없다.
동적인 것이든 정적인 것이든
어떤 것을 할 때 인위적으로,
의식적으로 기쁘다고 생각하며 하는 것이 아닌

자기도 모르게 웃음이 나오는 것을 하라.
그게 진짜로 자기가 하고 싶은 것이며 그토록 찾고 있던
행복이고 자존감이다. "

[행복은 가벼운 것에서 무거운 것으로
자연스레 점점 커지는 것.]

(진주)2023 진주 남강 유등축제

Mind Set

앞서 말한 대로
자존감은 자신이 좋아하는 것을 할 때
그것을 꾸준히 할 때
저절로 생기고 유지된다.

그러기 위해서는 항상
'할 수 있다'는 생각을
어떤 순간에도 버리면 안된다.

그런 마음가짐을 완전히 장착시킨다면
어떤 걸 하든지 자신감을 잃지 않으며
동시에 자존감도 지킬 수 있게 된다.

우리는 아주아주 넓게 보면
아무것도 아닌
아주 작고 하찮은 존재일지는 모르나

개개인 한 사람 한 사람으로 보면
위대하지 않은 사람이 없고
불필요한 사람이 없다.

어떤 쪽으로든 소중하고 특별한 존재이기에
때로는 이기적이어도 된다.

그렇기에 세상은
'나' 중심으로 돌아가고
'내'가 왕이라는
생각을 항상 가지고 살아가야 한다.

그것만이 나를 잃지 않게 하는 무기이고
내가 살아가는 이유이기도 하며
나를 지키는 든든한 수호천사이다.

여기서부터 오는 자신감은
하나둘씩 쌓여 단단한 자존감을 만든다.

[나를 지키는 일.
그것은 오로지 나 자신을 믿는 것에서 시작된다.]

(제천)비룡담저수지

(고령)지산동 고분군

내 편은 오직 나

내 스스로의 가치를 높이는 것.
그것의 출발은 나를 사랑하는 것이다.

연애든 인간관계든
유독 힘들어하는 사람들이 있다.
그 이유를 진지하게 곰곰이 생각해본 적이 있을까?
그것에 대한 해답은
우리 스스로가 가지고 있다.

어느 칼럼에서
대개 70%의 사람들은
자기 스스로를
원래 모습보다 40% 정도
더 못생겼다고 생각한다는
이야기를 한 바가 있다.

그 말은 즉,

무려 70%의 사람들이 스스로의 외적 가치를

깎아내린다는 이야기이며

자기 자신을 사랑하지 않는다는 것이다.

이렇게 자기 스스로의 가치를

알지 못한 채

매일매일 부정적인 생각에 휩싸인다면

될 일도 되지 않고

쉬운 것도 어렵게 느껴질 것이다.

반대로

스스로를 이해하고 칭찬하며

긍정적인 마음가짐으로

자기에게 좋은 말을 끊임없이 해준다면

덩달아 다른 사람에게도

애정을 줄 수 있다.

그래서 나는

매일 아침 출근 준비할 때

거울을 보며

나 왜 이렇게 잘생겼냐는 말을

몇 번이고 반복한다.

그래야만

이 세상 모든 것들을 사랑할 자격이 생기는 것이다.

[스스로를 사랑하지 않으면 사랑을 주지도 받지도 못한다.]

아무것도 하지 않으면
아무 일도 일어나지 않는다

내가 성인이 되고 난 이후에 밀고 있는 좌우명이다.
나는 이 문장 하나 덕분에
나라는 것을 잘 간직하고 있는 것같다.

인생은 어찌 보면 길다.
그렇기에
같은 자리에 머물고 있을 수만은 없다.
그렇게 변화를 주고
발전해나갈 때 내 안의 나를 느낄 수 있다.

변화를 두려워하면 결코 진정한 나를 찾을 수 없다.

반드시 성공한다는 보장은 없지만
그렇다고 반드시 실패할 것이라는 보장 또한 없다.
그렇기에 쉬운 것부터 복잡하고 어려운 것까지
차근차근히 도전해보자.

성공한다면
더 큰 것도 해낼 수 있을 거란
자신감을 얻을 것이고
실패한다면
성공하는 방법을 찾아갈 수 있을 것이다.

어찌 됐든 그 속에서 진짜 내 모습을 발견하게 될 것이다.

그러니 주저하지 말고
다가올 미래에 덜컥 걱정부터 하지 말고
일단 시작해보자.

무엇이든 시동만 잘 걸어준다면,
뒤로든 앞으로든 갈 것이다.

[멈추면 고이고 고이면 썩게 된다.]

(원주)샘마루공원

(영동)용두공원

하고 후회하는 것이
하지 않고 미련남는 것보다 낫다

사람들은 누구나
실패에 대한 두려움을 가지고 있기 마련이다.

작은 것이든 큰 것이든
이제껏 해오지 않은 것을
새롭게 해야 하는 상황이면 주저하고 본다.

가보지 않았던 식당에 가서 밥을 먹는 것
카페에 가서 후기 글이 없는 새로 나온 커피를 마시는 것
늘 가던 길이 아닌 새로운 길로 가는 것
고속도로로 가면 빠르고 쉽게 갈 수 있는 길을
국도로 가는 것

어쩌면 사소한 것일지 모르나
누군가에겐 큰 결심이 필요할 수도 있다.

나는 믿는다.
그런 새로운 결정들이 반드시 새로운 즐거움을
줄 것이라고. 후회는 없을 거라고.
작고 사소한 모험이 하나씩 모이면
큰 즐거움이 될 것이라고.

[듣기 전에 해보고 이야기하자.
해보지도 않고 지레 겁부터 먹는 것은
즐거움을 포기하는 것이다.]

(태안)안면암

실패하면 경험, 성공하면 대박

계획된 여행에서 갑자기 날씨가 좋지 않아
가보지 못하는 곳이 생긴다면

어떻게 할 것인가.

여기서 꼭
계획대로 움직여야 하는 사람은
원래 하려던 것을 못 하게 되었으니
그것대로 스트레스를 받으며
여행 내내 불만이 가득한 채 결국 여행을 망칠 것이다.

계획은 했지만 조금의 여유를 둔 사람은
날씨가 좋지 않아도
일단 가서 그 좋지 않은 날씨마저 즐기며
같은 장소에 대해 다른 매력을 느낄 수 있을 것이다.

뭐든지 정해진 대로만 움직이는 얽매임에서 벗어나
예상지 못했던 돌발을 온몸으로 받아 들여보자.

그러면 보이지 않았던 것들이
보이기 시작하고
느끼지 못했던 것들을
느낄 수 있을 것이다.

그것이 새로움에서 오는 즐거움이다.

그렇기 때문에
실패했다면
예기치 못했던 돌발의 즐거움을 맛볼 수 있고
성공했다면
계획된 여행의 즐거움을 맛볼 수 있을 것이다.

실패든, 성공이든 잃는 것은 없다·

같은 이벤트라도
다 알고 있는 것과 서프라이즈는
감동의 정도가 다르듯이

예기치 못했던 것에서 오는 아름다움에서
더 큰 희열을 느끼게 될 것이다.

[갑작스러움을 온몸으로 느껴보자.
그것이 인생의 참맛이다.]

(예천)용궁역

(제주)지두청사

걱정은 독, 비교는 삶

사람은 혼자 살아갈 수 없다.
간혹가다가 인간관계에 이리 치이고 저리 치여
싫증이 나버린 사람들은
어차피 인생 혼자. 라는 말을 입에 달고 산다.
그런 사람들 또한
관계망 속에서 결코 완전히 자유로워질 수 없다.

관계라 함은
모름지기 긍정과 부정의 요소를 모두 가지고 있는
양날의 검이다.

다른 사람들과 어울리면서
동질감, 소속감 등과 같은
긍정의 시너지가 있다면
거기서 어쩔 수 없이 오는 비교, 자격지심 등의
부정의 시너지도 있다.

그러나 비교는
하면 할수록 시기, 질투를 하게 되어
자존감과 자신감을 잃어버리게 하는
가장 큰 질병이 되고

해보기도 전에 지레 겁부터 먹고
스스로 '나는 안 될거야' '실패하면 어떡하지' 하는
무의식적인 걱정은
자신에 대한 신뢰를 깎아 먹고
자신의 능력을 발휘하지 못하게 하는
독이 되고 말 것이다.

[마음의 의사는 자신이 되어야 한다.]

(세종)나성동 마천루

세상은 미쳐야 재미있다

자기에 대한 이해를 어느 정도 했다면
그런 나를 제대로 일깨우기 위해서 무엇이 필요할까?
가만 생각해보니 답은 미치는 것이다.

한 가지에 미쳐보자.
지금 하고 있는 일과 관계 맺음은 모두
내가 하고 싶은 한 가지를
하기 위한 과정의 일부라고 생각해보면
하기 싫은 것도 즐거움으로 바뀌고
스트레스도 당연히 줄어든다.

그렇게 하다 보면
자연스레 웃음이 나고 다른 사람이 그런 나를 볼 때
덩달아 힘과 긍정적인 에너지를 얻을 수 있게 된다.

그것이 선한 영향력이며 긍정에서 나오는 엄청난 파워이다.

그러니 뭐든 좋으니까 죽도록 꽂힐 만한 무언가를 찾아
여행을 떠나보자.

그러면 미친 사람처럼 늘 웃고 있는 내가 보일 것이다.

[인생을 즐겁게 사는 방법을 아는 사람이 미친 사람이다.]

미래를 위해 현재를 희생하지 말자

금 중에 가장 소중한 금은?
백금? 순금? 황금? 일확천금?
애석하게도 모두 아니다.

바로 지금이다.
위의 금들은 현실적인 가치로 따져보면
모두 값어치가 비싸고
귀중한 것들이지만
돈만 있으면 얼마든 구할 수 있는 금들이다.

하지만 지금은 이 순간에도 어김없이 지나가고 있으며
한 번 지나가면 다시는 돌아오지 않는다.
돈을 수십 수백만, 수천억을 줘도 구할 수 없다.

내가 옛날 사람 즉,
기성세대가 아니라서 옛날엔 어쨌고 저쨌고 하는

얘기는 잘 알지 못한다.
그래서 그 시절과 지금을 감히 비교할 수는
없겠지만 적어도 지금 시대에 살고 있는 나로서는
지금 현재에 대해 이야기 할 수는 있다.

말하자면 지금은 바야흐로 경쟁의 시대이다.
입시부터 취업, 연애, 결혼, 내 집 마련 등등
모든 것이 경쟁과 밀접한 관계가 있다.

그런 각박한 세상 속에서 미래를 위한 투자는 필수적이다.

하지만 살아남기 위해
나중을 위한 무언가에 혈안이 되어있는 사람들에게
한 번쯤은 물어보고 싶다. 꼭.

지금 행복한가요?

[지금이 모이면 나중이 된다.
그래서 지금이 중요한 것이다.]

(부산)2023 부산 불꽃축제

(부산)2023 부산 불꽃축제

Chapter 5. 살 만한 세상, 아름다운 세상

말하는 대로
생각 하는 대로
보는 대로

받아들이기
'나름'
나름대로 세상

아름다운 눈

인간은 육감에 절대적으로 영향을 받는 존재이다.
보고 듣고 맡고 만지고 느끼고 맛보고
씹고 뜯고 맛보고 즐기고

그중에서도 제일 많이 영향을 받는 것은 보는 것이다.

좋은 것을 봐야 좋은 생각을 할 수 있다.

얼마전 뉴스 기사에서
여고생 한 명이 고속버스 앞에서 울먹이며
버스 기사님에게 계좌이체로 버스에 탑승이 가능하냐
물어보았다.
그런데 그 시각은 출발 2분 전의 상황으로,
버스 회사에 전화해서
계좌번호를 받고 입금 확인까지 마치고 학생을 태우기에는
턱없이 부족한 시간이다.

알고 보니 그 여학생은 지갑을 잃어버려 찾지 못하고 있어서
울고 있는 것이었다.

바로 출발해야 하는 급박한 상황에서 버스 기사님은 여학생을
무료로 태우기로 했고 검표하는 직원에게 사정을 설명한 뒤
"내가 책임질 테니 인원 확인할 때 그냥 지나쳐달라"라고
요청했다.

그 후 버스는 제시간에 안성에 도착했고 거기서 끝나지 않고
버스 기사님은 여학생에게 간식이라도 사 먹을 수 있게
1만원 짜리 한 장을 건네주려고 마음먹었다.

그러나 학생이 버스에서 내리면서
먼저 기사님에게 머뭇거리며
"기사님. 제가 가진 게 이것밖에 없어서요. 이거라도 꼭
받아주세요."
라며 내민 것은 구겨진 천 원짜리 지폐 두 장이었다.

버스 기사님은 돈을 받지 않고 학생에게
"살다 보면 이런저런 일이 있을 수 있다.
오늘은 안 좋은 일이 있는 날이라 생각하고 지갑을
꼭 찾을 수 있었으면 좋겠다"며 따뜻한 위로의 말을 전했다.

이런 미담의 사례가 부각 되지 않고
점점 줄어들고 있는 현실이
매우 안타깝지만 이와 같은 몇 안 되는 일이기에
우리는 더 크게 느낄 수 있지 않을까.
선한 영향력에 대한 모든 것을.

[좋은 것만 보려고 노력하면
부정의 먹구름은 저절로 사라진다.]

(단양)구인사

Chapter 6. 타인의 눈동자 속 내 모습

서로 통하는 것이
진짜
진실

내 눈에 이쁜 나는
남에게도
이쁜 나

가장 소중한 존재

하면 가장 먼저 떠오르는 사람들.
당연히 부모님을 비롯한 가족이다.
태어났을 때부터 어른이 되기까지
변함없이 한결같은 사람들은
단연 가족이다.

기쁠 때나 슬플 때나 힘이 들 때나
늘 우리 자신에게 힘이 되는 사람들은
가족뿐이다.

서른이 다 된 지금의 나에게
우리 엄마 아빠는 늘 사랑한다는 말을
아끼지 않으시며
오랜만에 집에 가서 엄마가 해주시는 맛있는 밥을 먹고
유년기와 청소년기의 내 보금자리인 침대에 누워
아무 걱정 없이 잠을 청하고 휴식을 하고 난 후

다시 일터가 있는 곳으로 돌아갈 시간이 되면
나를 꼭 껴안으며 볼에 뽀뽀를 해주신다.

이런저런 바쁘다는 핑계를 대며 집에 자주 못 갈 때는
얼굴 보고 싶다며 영상통화를 하기도 한다.
그럴 때에도 끊기 전에 항상 화면 너머로
사랑한다고 말을 한다.

다른 사람들의 가족들은 얼마나 진하게 애정 표현을 하는지는
잘 모르겠지만 나에게는 늘 그렇게 사랑을 아낌없이 주시는
우리 부모님이 최고다.

내가 늘 긍정적인 사고를 잃지 않고
살아가게 할 수 있는 가장 큰 힘은
우리 부모님이 나에게 주시는 사랑이다.

[엄마, 아빠! 받은 만큼 사랑을 드릴게요!]

(의성)낙단보

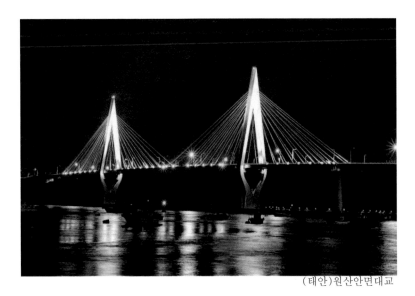

(태안)원산안면대교

지금은 철이 든 동생

나에게는 세 살 어린 동생이 한 명 있다.
어렸을 때는 툭 하면 별 것 아닌걸로 치고 박고 싸웠다.
항상 동생이 울음을 터뜨렸고 엄마 아빠한테 고자질해서
결국 모든 잘못은 전부 내 차지가 되었다.
그리고는 늘 돌아오는 대답은
"니가 오빠니까 봐줘라" "동생한테 그것도 양보 못 하냐"
였다.

어린 시절의 내가 제일 듣기 싫어하는 말 1등, 2등이었다.
이해할 수도 없고 이해하기도 싫었다.
도대체 그 놈의 오빠라는 것이 무엇이길래
모든 것에서 손해를 보며 살아야 하는지 말이다.

그러나 지금은 나와 동생 둘 다 키도 다 컸고 머리도 컸다.
그래서 어렸을 적에 들었던 모든 억울한 말들이
이제서야 이해가 간다.

그런 경험들이 하나둘 쌓이다 보니 지금의 나는
넓은 마음을 가질 수 있었고 그 넓은 마음속에
긍정적인 요소로 차곡차곡 가득 채울 수 있었다.

결과적으로 그 모든 것들이 지금의 나를 만들어 준
소중한 것들이 되었다.

[그땐 몰랐던, 지나고 보니 좋은 것들]

스쳐 지나간, 남아있는 친구들

초등학교, 중학교, 고등학교, 대학교.
네 가지의 학교를 다니며 가깝게 지냈던 친구들
좋든 싫든 학교에 가기만 하면 늘 봐야 하는 친구들
집보다 학교에 있는 시간이 더 많았기에 어쩌면 가족보다
더 밀접한 관계를 맺기도 한 그런 친구들이 있었다.

수많은 친구들과 어울리다 보니 내 곁에 남는 친구들은
모두 나와 비슷한 사람들이었다.

생각하는 것, 말하는 것, 행동하는 것 모두가
나와 크게 다른 점이 없는 친구들뿐이었다.

그런 친구들과 희노애락을 함께 느끼며
그 속에서 나를 발견하고
나에 대한 확실한 정체성을 찾을 수 있었다.

그래서 그런지 나는 관계를 맺는 것은 쉽게 할 수 있으나

관계를 정리하는 것에서는 약점을 가지고 있다.

친구들 모두 나에게 선한 영향력을 가져다 준
소중한 사람들이기에
큰 배신감을 느끼게 하지 않는 이상
웬만하면 좋았던 시절들을 추억하며
앞으로를 그려가면서 관계를 이어 나가려 노력한다.

그렇기에 친구들은 나에게 있어 없어서는 안 될 사람들이다.

[익숙함에 속아 소중함을 잃지 말자]

(포항)이가리 닻 전망대

Chapter 7. 관계 속에 지친 여러분을 위해

관계 속에서의
내 표정
내 말투
내 기분

모두
안녕들 하신가요?
네, 안녕하세요.

그럴 수 있지

세상엔 당연한 것은 없다. 놀랍게도.
어렸을 때 부모님에게 사랑을 듬뿍 받고 자란 사람들은
그것이 당연한 것이라 생각한다.
"엄마니까~" 혹은 "아빠니까~" 이런 말을 달고 산다.

하지만 모든 사람들이 그런 좋은 가정환경에서 나고 자라서
올바르게 성장하는 것은 아니다.
그러지 못해서 한순간에 고꾸라져
걷잡을 수 없이 방황하는 사람들도 있다.
모두가 같은 조건은 아니다.

그렇기에 관계에서 가장 위험한 생각은
"내가 이러니까 쟤도 이렇겠지?" 이다.

이 생각을 하는 순간 어떤 관계든 건강할 수 없다.

중요한 것은 상대적이라는 것이다.

그래서 항상 그럴 수 있다는 생각을 가지고
유연한 대처가 필요하다.
그것만이 관계 속에서 만족감을 느낄 수 있는 방법이다.

[나는 그렇지만 상대방은 아닐 수 있다.]

(강릉)강릉항

(통영)서피랑마을

놓아주는 용기

우리 모두는 하나하나가 전부 소중한 사람들이다.
그 어느 누구도 가치 없는 사람은 없다.

친구든 직장동료든 하루종일 집에만 있는 사람이 아닌 이상
사람이라면 자연히 관계라는 것을 맺으며 살아간다.

그러다 보면 좀 더 가깝게 지내는 사람이 있는 반면
조금은 거리를 두는 사람도 있기 마련이다.
어떠한 계기나 사건이 있어서 그럴 수도 있지만
별 일없이, 별 탈없이 모두와 잘 지내고 있을 때에도
이유 없이 거리감이 느껴지는 사람이 있다.

물론 지금도 그렇지만 나는
이제껏 모두하고 두루두루 잘 지내고
어느 누구 하나 소외되는 사람 없이
조화롭게 지내려고 노력해왔다.

그러나 살다 보니 내 뜻대로 내 마음대로
되지 않는다는 것을
성인이 되고 나서야 비로소 깨닫게 되었고
수단 방법을 가리지 않고서라도 나에게서 멀어지려는 사람을
붙잡아도 보았지만
그럴수록 내 자신에게 상처가 되는 것같다는
느낌을 강하게 받은 적도 있다.

그러면서 나는 당기는 힘이 있다면 미는 힘도 존재하듯
때로는 놓아주는 것도 관계에서는 필요한 것임을
알게 되었다.

그 두 가지 모두 탈 없이 잘 되어야 건강한 관계인 것을.

[인간관계는 마치 모래알과도 같다.]

(영양)반딧불이 천문대 은하수

사랑만 하기에도 모자란 우리 인생

인생이란 길다면 길지만 짧다면 짧다.
우리가 지금 보고, 듣고, 경험하고 있는 것들 중에서
영원한 건 없다.
봄에 피었던 이쁜 꽃들도
계절이 지나 여름, 가을, 겨울이 오면
그 이뻤던 모습은 온데 간데 없고 가지만 앙상하게 남아있다.
겨울에 내렸던 눈도 봄이 오고
여름으로 가면 모두 녹아 없어진다.

반면 예방주사를 맞는 그 순간은 정말 아프지만
주사기가 빠지고 알콜솜을 부비적대면
아픔도 사라진다.

이처럼 좋은 것이든 안 좋은 것이든
시기가 지나면 모두 없던 것이 되고 만다.

여기서 생각해보자.

좋은 것이든 그렇지 않은 것이든 금방 사라질 것들이라면
당신은 어떤 것으로 채워나갈 것인가.

우리는 부정적인 것들을 받아들일 틈이 없기에,
그래서 좋은 것들로만 채워나가도
우리의 시간은 한없이 모자라다.

우리 주변의 모든 것들을 사랑으로 보듬어주고 살아간다면
관계 속에서의 아픔은 자연히 치유된다.

[사랑만 하자, 우리 그러자]

「여행을 좋아하는 나
  새로운 것을 좋아하는 나
  도전을 좋아하는 나
  상상을 좋아하는 나
  즐기는 나」

이 모든 것을 가능케 한 것은
나에게로 떠나는 여행에서부터 시작되었다.

나를 잘 알고 나서야 모든 것이 달리 보였고
모든 것의 참맛을 알게 되어
인생이 달라졌다.

『떠나가네, 그곳으로
햇살에 구름을 머금는 곳으로
답답한 내 맘이
숨을 쉬는 곳으로

나는 가네, 그곳으로
시원한 바람에 눈이 감겨오는

들뜬 마음 안고
콧노랠 부르는 그곳으로』

- 이승기, 여행가는 길(2004) 中 -

Chapter Special. 작가의 추천 여행지

힘든 당신
지친 당신
지금 당장 떠나라

눈과 마음이
자유로워지는 곳,
여행

뒤늦게 인사드립니다.
안녕하세요, 저는 글 작가이자 사진 및 여행 작가인
Jm, 본명 전민재입니다.

사실 본래 작가 활동을 일절 하지 않고
여행만 미친 듯이 다니던 일반인이었으나
갑자기 사진을 찍기 시작하고 어영부영 시작했던
사진 촬영이 취미가 되고 이제는 제 삶에서 큰 비중을
차지하고 있습니다.

글이든 여행이든 사진이든 모두
단순히 제가 좋아해서 이어 나가고 있는 활동이며
매주 여행을 하고 카메라로 기록을 남기는 것이
이제는 습관이 되었습니다.

그런 제가 드리고 싶은 메시지는
저처럼 자주는 아니더라도
일정 주기를 정해서 꼭 여행을 다니는 것이
좋다는 것입니다.

근처든 장거리든 거리는 중요치 않습니다.

어디든지 조금이라도 복잡한 마음을 달랠 수 있다면,

스트레스에서 약간이라도 벗어날 수 있다면
그곳이 최고의 여행지입니다.

그런 제가 전국을 돌아다니며
보고 느끼고 맛보았던 곳들 중에서
단연 가장 좋았던 여행지들을 3군데만 추천해 드리고자 합니
다.

1위. 경상남도 사천시

- 어쩌면 "사천시"라는 이름보단 "삼천포"라는 이름이
더 익숙하신 분들이 많을지도 모릅니다.
하지만 사천시의 옛 이름 삼천포는 잊고
사천시로 기억해주셨으면 합니다.
경남 사천시는 인구 10만여 명 남짓의 도시로,
대도시는 아니지만 탁 트인 남해 바다를 끼고 있어
아름다운 볼거리를 즐길 수 있는 장소가 많습니다.

<초양도> 경상남도 사천시 늑도동 483-1

사천바다케이블카를 타고 초양정류장에서 하차 시,
이곳 초양도라는 섬에 도착하는데
이곳에서는 "사천아이"라는 유럽풍의 대관람차가 있습니다.
사천의 대관람차는 다른 지역의 대관람차와는 다르게
어촌마을과 함께 있어 색다른 풍경을 볼 수 있습니다.

<각산전망대> 경상남도 사천시 대방동 산2

초양정류장에서 다시 케이블카를 타고

각산정류장에서 내리면 이 곳 각산전망대에 도착합니다.

전망대에서는 케이블카를 타고 올라온 곳들을

시원하게 펼쳐진 남해 바다와 함께

남해군과 사천시를 잇는 창선삼천포대교와 초양도와 늑도를

잇는 늑도대교를 한눈에 볼 수 있습니다.

각산전망대에서 일상의 답답함을 잠시나마 털어내는 것은

어떨까요?

* 사천바다케이블카 탑승장 : 대방정류장

(주소: 경상남도 사천시 사천대로 18)

<대포항> 경상남도 사천시 대포동 457-12

대포항은 그렇게 큰 항구는 아닙니다.

그러나 항구 앞 작은 주차장에 주차를 하고 조금만 걸어가면

마치 아름다운 여인을 형상화한 듯한 거대한 조형물이 있습니다. 사천의 대표적인 일몰 명소인

여기 대포항에서 해질녘의 따뜻한 감상과 함께 인생 사진을 남겨보는 것을 추천드립니다.

<실안낙조> 경상남도 사천시 실안동

사천에는 늑도, 초양도를 비롯한
여러 개의 부속 도서가 있습니다.
그중에서 이곳 실안낙조 포인트에서는
저도(일명 딱섬)라고 불리는 섬의 위로
붉은 빛의 낙조를 감상할 수 있습니다.
뜨거운 일몰 빛과 함께 아름다운 사진을 남길 수 있는
아름다운 곳입니다.

<창선삼천포대교> (삼천포대교공원) 경상남도 사천시 사천대로 35

창선삼천포대교는

남해군 창선면과 삼천포를 잇는 교량입니다.

건립 초기에 남해군과 사천시가

이 교량의 이름을 짓는 과정에서 갈등이 있었으며

여러 가지 후보군을 거쳐

지금의 "창선삼천포대교"로 결정되었습니다.

여기서 해가 지고 난 후

커다란 다리에서 조명이 점등되는 것을 볼 수 있습니다.

시시각각으로 변하는 조명을 보며

여행의 마무리를 하는 것도 좋을 듯합니다.

#경상남도 #사천시 #사천여행

2위. 전라남도 여수시

- 여수는 전라남도의 도시 중에서도

연간 1000만명이 방문할 정도로 관광의 일번지입니다.

2012년 여수엑스포 유치와 동일연도에 발표된

버스커버스커의 "여수밤바다"노래가 대박을 터뜨리며

많은 관광객이 오가는 반도입니다.

<오동도> 전라남도 여수시 수정동 산 1-11

여수에는 여러 개의 섬이 있지만

다른 곳보다도 여기는 무조건 가야 한다고 생각하는 섬입니다.

섬의 규모도 상당히 커서 섬 내부를 도보로 둘러보는 데

시간이 조금 걸리는 편입니다.

그러나 섬 내부의 동백열차를 이용한다면 아기자기한

느낌과 함께 편하게 섬 전체를 둘러볼 수 있습니다.

<향일암> 전라남도 여수시 돌산읍 향일암로 60

바다와 맞닿은 절, 향일암입니다.

보통 절이라고 하면 산속에 있는 경우가 대부분인데

향일암은 넓게 펼쳐진 남해 바다와 바로 맞닿아있어

둘러보는 내내 시원한 바닷바람을 맞으며

상쾌함을 느낄 수 있습니다.

그리고 가운데에 "거북머리"라는 지형을 볼 수 있는데,

약간의 돌출된 지형이 마치 거북이 머리를 닮았다 하여

붙여진 이름입니다

<돌산대교> 전라남도 여수시 돌산읍 우두리 산 355-1

여수 밤바다~ 노래 가사가 절로 나오는 여수의 비경,
돌산대교 풍경을 가장 잘 볼 수 있는 돌산공원입니다.
돌산대교는 사천의 창선삼천포대교와 마찬가지로
야간에 경관조명이 점등되어 캄캄한 남해 바다 한가운데에서
밝게 빛나는 큼지막한 다리를 볼 수 있는 곳입니다.

<이순신대교> (이순신대교홍보관) 전라남도 여수시 묘도7길 110

여수에는 섬과 섬, 섬과 육지를 잇는 커다란 교량이 여러 개가
있습니다. 여수의 제1교 돌산대교를 봤다면
여기 여수의 제2교 이순신대교를 빼면 섭섭합니다.
이순신대교 역시 돌산대교만큼의 큰 규모를 자랑하는 다리이며
광양과 여수를 이어주는 소중한 다리입니다.

156

돌산대교만큼 화려하지는 않지만 조금 절제된 느낌의 야경을 보고 싶다면 이순신대교홍보관에서 조용히 빛나는 이순신대교를 보는 것도 좋습니다.

<여수국가산단전망대> 전라남도 여수시 화치동 산 183-1

여수는 우리나라에서 없어서는 안 될
중요한 공업도시이기도 합니다.
그 사실을 여수국가산단이 잘 보여주는데,
나무계단을 조금 올라가면 낮은 언덕 정도의 높이에서
수많은 공장들이 수놓는 아름다운 빛들의 향연을
볼 수 있습니다.
거기서 밤낮없이 일하시는 근로자들의 노고 덕분에
우리는 아름다운 야경을 볼 수 있습니다.
그에 감사하는 마음을 가지고 야경을 바라보았으면 합니다.

<2023 여수밤바다 불꽃축제>

매년 가을에 이곳 여수에서는 밤바다 위로 낭만을 터뜨립니다.

시기는 해마다 조금씩 다르지만

낭만을 하늘에 수놓기에 돌산대교와 장군도 앞 해상은

충분한 장소입니다.

약 35분간 노래에 맞춰 진행되는 불꽃축제를 감상하며

일상에서 쌓였던 스트레스들을 터지는 불꽃과 함께

모두 터뜨려버리는 것을 강력히 추천드립니다.

* 2023년 여수밤바다 불꽃축제 : 2023. 10. 28(토) 오후 8시

#전라남도 #여수시 #여수여행

3위. 부산광역시 영도구

- 부산은 바다를 좋아하는 사람이라면
너무나도 여행하기 좋은 도시입니다.
저는 그중에서 부산중에 부산,
영도구 여행을 추천드립니다.
부산의 전통이 살아 숨 쉬는 이곳 영도구에서
맛있는 회를 먹으며 경치를 즐기는 건 어떠신가요?

<제31회 영도다리축제> 부산광역시 중구 중앙동7가

영도구 여행을 추천한다면서 왜 주소가 중구야?

하시는 분들이 계실지도 모르지만

영도대교는 중구와 영도구를 잇는

유서 깊은 다리라서 그렇다고 대답하겠습니다.

우리나라에서 유일하게 도개(다리의 개폐)가 가능한

다리이고

역사적으로는 6.25 전쟁 때 중요한 피란길의 역할을 한

다리입니다.

매주 토요일 14시에 15분가량 다리가 열린다고 하니

시간 맞춰 가시면 어디서도 볼 수 없는 특별한 광경을

볼 수 있습니다.

<제31회 영도다리축제>

영도다리축제의 메인 행사는 도개식입니다.
그러나 전날 밤의 행사를 알리는 불꽃축제 역시
놓치면 안 될 이벤트입니다.
다만, 이 축제는 불꽃축제가 메인이 아니기 때문에
다른 불꽃 축제들에 비해서 규모가 작습니다.
하지만 밤바다 위로 터지는 불꽃은 규모와 상관없이
아름다운건 모두 같았습니다.

* 2023년 영도다리축제 : 2023.10.13.(금) ~ 2023.10.15.(일)
** 아미르공원 및 영도대교일원

<흰여울문화마을> 부산광역시 영도구 영선동4가 605-3

부산의 관광 특화 마을을 2가지 꼽는다면

사상구의 감천문화마을과

여기 영도구의 흰여울문화마을입니다.

그중에서도 개인적으로 더 기억에 남는 곳은

흰여울문화마을입니다.

좁은 골목 골목길 사이로 빼꼼 드러나는 바다 풍경을 보고

바닷길을 따라 걷다 보면 나오는 동굴 포토존,

약간 가파른 계단을 오르면 나오는 전망대에서

마을 전체를 조망할 수 있는

흰여울문화마을. 영도구 여행에서 빠질 수 없겠죠?

<복천사> 부산광역시 영도구 산정길 41

복천사는 영도구에서 가장 오래된 사찰로,
약간의 경사면을 오르면 절에 도착합니다.
살짝 높은 곳에 있는 복천사는
절 사이로 길게 뻗은 남항대교와
높게 자라있는 송도힐스테이트 아파트가 조화롭게
버무러져 있는 풍경을 감상할 수 있습니다.
특히 일몰 시간대에는 아름다운 매직아워의 명소이기도 합니
다.

이곳 복천사가 주는 옛것의 미와 바로 이어진 듯한 남항대교 및 고층빌딩이 주는 현대의 미를 동시에 느껴보는 것을 강력히 추천드립니다.

<봉래산> 부산광역시 영도구 청학동

복천사에서 일몰 풍경을 감상하고 바로 이어진
등산로를 따라 오르면 봉래산 정상에 도착하게 됩니다.
봉래산은 정상의 높이가 395m밖에 되지 않는
그리 높지 않은 산이고 야간에도 조명이
잘 되어있어 야간산행도 큰 무리가 없는 산입니다.
가벼운 산행의 끝에는 부산항대교를 비롯한
영도의 수없이 빛나는 야경을 즐길 수 있습니다.

#부산광역시 #영도구 #영도여행